Bruno a trouvé un ballon

Un jour quand j'étais petit, j'ai trouvé un ballon. J'étais heureux de penser que j'allais le rapporter à la maison! Mais j'ai été encore plus heureux de faire la connaissance de celui qui avait perdu ce ballon parce que je me suis fait un ami !

Allons venez, je crois
que le cerf-volant est
dans cet arbre!

J'ai trouvé
un ballon;
il est à moi!

J'ai perdu
mon ballon.
Il ressemblait
à ton ballon!

Je crois que c'est ton ballon. Je l'ai trouvé dans les buissons.

Vraiment? Je te remercie. Est-ce que tu voudrais jouer avec moi?

Présente-nous ton nouvel ami, Bruno.

C'est un beau ballon!

Je croyais avoir perdu mon ballon ;
il l'avait trouvé et me l'a rendu !

Je suis vraiment fier de toi Bruno!
Tu as su faire le bonheur de ton ami.